Gwiiwizhenzhish
By: John Daniel

Gwiiwizhenzhish
By: John Daniel

978-1-300-27322-6
Imprint: Lulu.com

Aaniin. Ambegish minwendameg agindameg. Shke
dash wenji-ozhitooyaan, mii eta go ongow
abinoojiinyag
ji-ayaamowaad nawaj mazina'iganan
aabajichigaadesinok 'i zhaaganaashiimowin.
Ingoding maawiin niibowa giga-gashkitoomin.
Miigwech.

Shke, giga-waabandaan 15-20
Mii minik ikidowinan wezhibii'igaadegin
endaso-baakiiginiganing (15-20 ikidowinan).
Shke dash i'iw .1 (15-20.1) mii nitam
ge-aginjigaadegiban. Miish iniw .2, .3 biinish akina.

15-20.1

Aaniin akina awiya. Gwiiwizhenzhish
indizhinikaaz. Mii iw bezhig izhinikaazowin
gaa-miizhid nimishoomis. Shke omaa
inga-dibaajimaag indinawemaaganag
waaj-ayaawagwaa miinawaa endanakiiyaang.

1

Nisayenh wa'aw. Noodin izhinikaazo. Nawaj zaziikizi apiish niinawind nishiimenh. Mii aw mayaamawi-apiitizid niinawind abinoojiinwiyaang.

Mii dash wa'aw nishiimenyinaan. Aanakwadoons izhinikaazo. Wenda-agaashiinwi geyaabi nishiimenh. Apane imaa dakobizo dikinaaganing. Mii go bezhigwan dikinaaganing geniin gaa-izhi-dakobizoyaan gii-abinoojiinyensiwiyaan.

3

Mii ow endaayaang. Omaa megwayaak indanakiimin. Mewinzha jibwaa-ondaadiziyaan, nimishoomis ogii-ozhitoon o'ow waakaa'igan ebiitamaang noongom. Mii eta go omaa apane noopimiing ayaayaang.

Nashke, nimishoomis wa'aw nemadabid imaa namanjinikaang. Binesiiwab izhinikaazo, Kiwenz idash eta go indinaanaan. Shke dash aw nookomis nemadabid gichinikaang. Anangookwe izhinikaazo, Maamaanaan dash eta go indinaanaan.

Ninibewigamig o'ow. Omaa ko indazhitaa, gaawiin dash apane. Memindage go agwajiing indoodaminomin wiiji'ag nisayenh. Bakaan iwidi awasisag odayaan onibewigamig. Nishiimenh dash nibaa nimishoomis miinawaa nookomis onibewigamigowaang.

6

Endaso-giizhig nimishoomisinaan miinawaa
nookomisinaan niwiindamaagonaanig agwajiing
ji-o-asangid asemaa. Gewiinawaa ko asemaan
odasaawaan maagizhaa ge odoopwaaganiwaan
ozagaswaanaawaan biindig namadabiwaad.

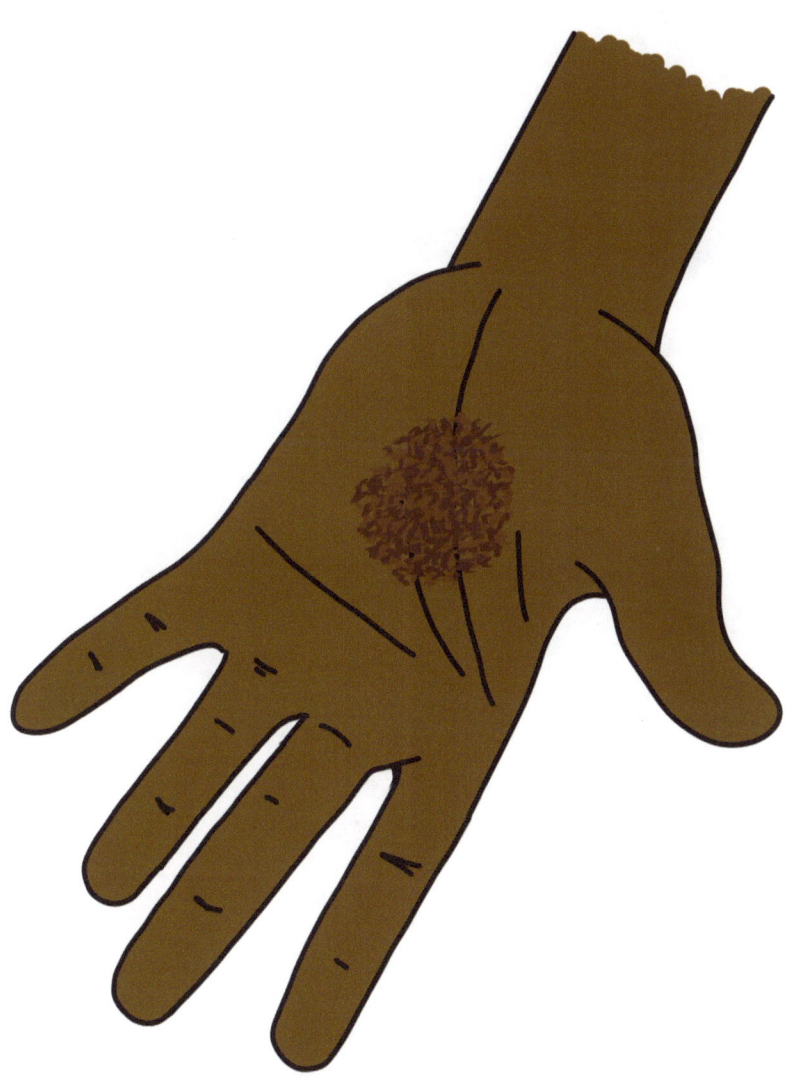

7

Nashke wa'aw manidoowaatig. Mii ko imaa jiigaatigong asemaa asag. Nimishoomis ogii-padakinaan iniw mitigoon apane go omaa ji-bizindaagoowiziyaang miinawaa ji-ganawenimiyangidwaa Manidoog.

Maagizhaa-sh ge ogiji-asin indasemaam
indasaa. Nashke ekidod nimishoomis, "Manidoo
imaa ayaa asiniing genaweniminang
ji-mino-ayaayang." Weweni endaso-giizhig
indaabaji'aanaan aw asemaa.

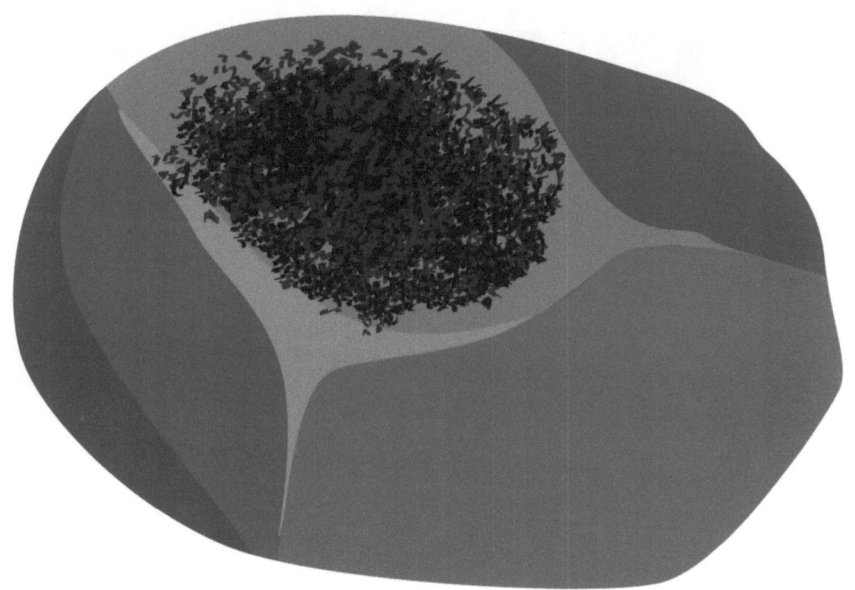

Gegabe-niibin agwajiing imbaa-dazhitaamin a'aw nisayenh. Indanokii'igoomin dash endaso-giizhig. Noodin daashkiga'ise onzaam indagaashiinh, mii eta go aawadiniseyaan ji-okwaakosidooyaan iniw misan.

Gaawiin dash memwech azhigwa indaa-biindigenisesiimin, baanimaa go dagwaagig, jibwaa-biboong igo. Mii eta go ozhiitaatooyaang misan ji-giizhooteg endaayaang ani-gisinaag agwajiing.

Mii sa iw enanokiiyaang agwajiing
wiidookawangid Kiwenz. Biindig idash
niwiidookawaanaan Maamaanaan gegoo
izhichiged dibishkoo go biinichiged imaa
waakaa'iganing.

Giizhiitaayaang wiidookawangidwaa Kiwenz miinawaa Maamaanaan, mii ezhi-bagidiniyangidwaa ji-baa-odaminowaang. Anooj indizhichigemin. Ingaazootaadimin iko maagizhaa ge imbepeshinidimin.

Ke dash gaye ezhiwebiziyaang.
Noopimiing iko indizhaamin mitigoog
o-akwaandawaanangidwaa. Mii imaa
zhashawabaagiiyaang. Indakwaandawemin
wanakong biinish igo ani-waagaakoziwaad
mitigoonsag.

Aabiding gii-akwaandaweyaang mitigong,
ingii-chi-bangishin, gaa-izhi-biibaagimag
nisayenh, "Noodin, daga naa o-naazh
Maamaanaan! Wiindamaw gii-wiisagishinaan.
Wewiib!" Gaa-izhi-maajaad nagazhid
o-andone'waad nookomisan.

Noodin dash gii-piindige waakaa'iganing.
"Maamaanaan!" Odinaan. "Daga wewiib!
Gwiiwizhenzhish gii-pangishin
aana-gii-akwaandawed mitigong!"
Ogii-ani-biminizha'ogoon bi-naazikawiwaad
iwidi mitigong endazhishinaan.

16

Apii dash gaa-tagoshinowaad imaa ayaayaan,
nookomis nimawimaa, "Maamaanaan, mii imaa
gii-akwaandaweyaang mitigong, miish igo
Noodin gaa-izhi-gaanjwebinid onjida
ji-bangishinaan!"

"Niiyaa, giiwaaj sa go naa edida," odinaan
nisayenyan. Mii go gaa-izhi-boonimaad
ji-wiidookawid. Ingii-ani-giiwewinig.
Inganawaabamaa nisayenh imaa niibawid
nishkaabamid gii-kiiwanimoyaan.

Gaa-piindigeyaang endaayaang, nisayenh
ogii-naniibikimigoon nookomisan
gaa-izhi-izhinizha'ogod onibewigamigong
ji-naanaagadawendang ezhichigepan.
Ogikendaan dash ji-aazhidemaasig iniw
mindimooyenyan, mii gaawiin gegoo
gii-ikidosiin.

Niin dash imaa nookomis inganawenimig wiisagendamaan nikaading. "Ooyay, mii go ji-mino-ayaayan," indig. "Aaniish wiin gaa-onji-niisiwebinik gisayenh?" Hay' maazhendamaan, "amanj," indikid.

Gaa-ishkwaa-mawiyaan, "haaw, mii go iw.
Babaa-odaminon," ikido. Mii
gaa-paa-izhi-odaminoyaan miinawaa. Ajina eta
ingii-nazhike-odamin biinish igo
biigiskaadendamaan. Ingii-kwiinawenimaa
Noodin wii-wiiji'ag.

21

Ingii-piindige miinawaa ji-odisag imaa ayaad onibewigamigong. "Aaniin," indaana-gii-inaa. Mii gaawiin gegoo niwii-igosiin, onzaam ninishkenimig gii-kiiwanimoyaan wiindamaageyaan gii-niisiwebinid. "Booni'ishin," ikido.

22

Ani-zaaga'amaan onibewigamigong,
gii-piibaagi, "aaniin gaa-onji-giiwanimoyan
ikidoyan gii-niisiwebininaan?" Niin dash,
"amanj iidog. Mii eta go gii-misawenimag
Maamaanaan ji-bi-zhawenimid," indikid.

"Azhigwa dash nimaazhendam i'iw gii-toodoonaan," indinaa. Megwaa-gaganoonidiyaang, nimishoomis namadabi awasisagong bizindawiyangid ekidoyaang. "Gidaa-bi-wiiji' ina miinawaa?" Ingii-kagwejimaa Noodin. "Gaawiin," ikido.

Gezika ninoondawaa awiya biidaasamosed.
Aabanaabiyaan, nimishoomis imaa
gii-niibawi chi-ganawaabamid,
"gigii-noondooninim gosha gaa-ikidoyeg," ikido.
"Aaniin danaa gaa-onji-giiwanimoyan?"

25

Mii dash iwidi gii-wiindamawid ji-wiijiiwag
wii-o-wiindamawimag nookomisan. "Anishaa go
ingii-tibaajim. Gaawiin geget
ingii-niisiwebinigosiin. Mii eta go
gii-misawendamaan ji-bi-aabiziwimiyan
gii-mawiyaan," indinaa.

"Gaawiin sha memwech anooj gidaa-inaajimosiin ji-zhaweniminaan. Gego daga miinawaa giiwanimotawishiken," ikido nookomis. "Ahaw nookomis," indinaa maazhendamaan.

Miish igo agwajiing
gaa-o-izhi-anokii'igooyaan. Nimishoomis
niwiindamaag ji-aawadiniseyaan miinawaa.
"Gaawiin ganabaj indaa-gii-kiiwanimosiin,"
indinendam. Wewiib dash ingii-kiizhiikaan
indanokiiwin ji-baa-odaminoyaan miinawaa.

Mii sa go naa iw minik waa-tibaadodamaan i'iw gaa-izhiwebiziyaan. Baanimaa miinawaa ingoding inga-dibaajim. Mii 'iw.

Gwiiwizhenshish - Bad Boy

1. Hi everyone. My name is Gwiiwizhenzhish. That's one of the names my grandpa gave me. I'm going to talk about my family members here that I live with and where we live.

2. This is my older brother. His name is Noodin. He's older than me and my little sister. That's the oldest of us kids.

3. And this is our younger sister. Her name is Aanakwadoons. My little sister is really small still. She's always tied up in the cradle board. It's the same cradle board that I was tied up in when I was a baby.

4. This is our house. We live here in the woods. A long time ago before I was born, my grandpa built this hosue that we live in today. We're just always here in the woods.

5. Look, this is my grandpa sitting there on the left side. His name is Binesiiwab, but we just call him Kiwenz. And that's mmy grandma sitting on the right side. Her name is Anangookwe, but we just call her Maamaanaan.

6. This is my bedroom. I usually play here, but not all the time. We especially play outside and I play with my older brother. He has his own bedroom in the other room. And my little sister sleeps in my grandpa and grandma's room.

7. Our grandpa and grandma tell us to go put out tobacco outside everyday. They usually put tobacco out too or else they'll smoke their pipes sitting inside.

8. Look at the manidoowaatig. We usually put our tobacco there my the tree. My grandpa put this tree up so that we are alway heard and cared for by the manidoog.

9. Or else I'll put my tobacco on top of a rock. What my grandpa says is, "there's a manidoo in the rock that takes care of us so we are in good health. I use my tobacco everyday.

10. My and my older brother play outside all summer long. But we're put to work everyday. Noodin splits the wood because I'm too small, I just haul the firewood to stack it.

11. We don't have to bring in the wood right not until later when it's fall time, before winter sometime. We're just getting the firewood ready so that we can have a warm house when it starts getting cold out.

12. That's what our work entails outside helping Kiwenz. But inside we help grandma with things she does like cleaning the house.

13. When we are finished helping grandpa and grandma, they let us go play. We do all sorts of things. We play hide and seek or else we play tag usually.

14. And also what we do is: we go in the woods to climb trees. That's where we play zhashawabaagii. We climb to the top of the trees until they bend.

15. One time where we were climbing in a tree, I fell really hard and then I yelled to my brother, "Noodin, go get grandma! Tell her I had a bad fall. Hurry!" and then he took off leaving me to go get my grandma.

16. And Noodin went in the house. "Maamaanaan!" he said to her. "Please, hurry! Gwiiwizhenshish fell when he was trying to climb up a tree!" She followed him and they approached me over by the tree where I was laying.

17. And after they arrived where I was, I cried to my grandma, "Maamaanaan, that's where I was climbing in the tree, then Noodin just pushed me down on purpose for me to fall!"

18. "Oh my goodness gracious!" she said to my brother. Then she just ignored him to help me. She began carrying my home. I looked at my brother standing there looking at my all angry because I lied.

19. After we went in the house, my older brother was scolded by my grandma and then she sent him to his room to think about what he had done. But knew better than to talk back to the old lady, he just kept quiet.

20. And as for me, my grandma took care of me as I my leg was sore. "Oh jeez, you're going to be fine," she said to me. "Why did your brother throw you down anyways?" Oh man, in distress, I said, "I don't know"

21. When I stopped crying, "ok that's enough. Go and play," she said. Then I went on my way playing again. I played by myself for a little bit until I got bored. I was missing Noodin and I wanted to play with him

22. I went inside again to go up to him where he was in his bedroom. I tried to say "hi," to him. He really didn't want to say anything to me because he was too upset with me from lying and saying that he throw me down. "Leave me alone," he said to me.

23. As I was going out of his bedroom he yelled out, "why did you lie and say I threw you down?" And as for me, "I don't know. I just wanted grandma to come and pity me," I said.

24. "But now I'm sorry and feel bad for what I did to you," I said to him. While we were talking, my grandpa was in the other room listening to what we were saying. "Can you come play with me again?" I asked Noodin. He said, "no."

25. All of a sudden I hear someone walking towards me. As I look back, my grandpa was standing there and really looking at me, "I heard what you guys said," he says. "Why in the world did you tell a lie?"

26. So then he told me to go with him to go and tell my grandma. "I was just messing around saying that. He didn't really throw me down. I only wanted you to come comfort me because I was crying," I said to her.

27. "You don't have to tell these crazy stories for me to show you some love. Please, don't lie to me again," my grandma said. "Ok grandma," I said to her all sad.

28. So then I was put to work outside. My grandpa told me to haul wood again. "I don't think I should like anymore," I thought. And I quickly finished my work so that I could go play again.

29. The end.